LE GAMIN
à la craie

Texte de Clyde Robert Bulla
Illustrations de Thomas B. Allen

Traduit de l'anglais par
Claudine Azoulay

EH **Héritage jeunesse**

La Didacthèque
Université du Québec à Rimouski
300, allée des Ursulines
Rimouski (Québec) G5L 3A1

Données de catalogage avant publication (Canada)

Bulla, Clyde Robert

  Le gamin à la craie

  (Petite étoile).
  Traduction de‹ The chalk box kid.
  Pour enfants.

  ISBN 2-7625-5191-9

  I. Allen, Tom, 1928-   . II. Titre. III. Col-
lection.

PZ23.B84Ga 1989   j813'.54   C89-096070-4

The Chalk Box Kid
Texte copyright © 1987 by Clyde Robert Bulla
Illustrations intérieures copyright © 1987 by Thomas B. Allen
Publié par Random House, Inc., New York

Illustration de la couverture : P. & G. Pusztaï inc.

Version française
© Les Éditions Héritage Inc. 1988
Tous droits réservés

Dépôts légaux : 1ᵉʳ trimestre 1989
Bibliothèque nationale du Québec
Bibliothèque nationale du Canada

ISBN : 2-7625-5191-9   Imprimé au Canada

Photocomposition : Deval Studiolitho Inc.

LES ÉDITIONS HÉRITAGE INC.
300, Arran Saint-Lambert, Québec J4R 1K5
(514) 875-0327

Table des matières

1
La chambre

Grégoire entend l'horloge sonner. Dans une heure il sera minuit et son anniversaire sera fini.

Il ouvre la porte et regarde dans la rue.

— Ferme la porte, dit tante Grace.

— Je croyais avoir entendu une voiture, répond-il.

— Grégoire, tu fais entrer le froid.

Il referme la porte et va s'asseoir près de sa tante sur le canapé. Son bloc à dessin, ses peintures et ses pinceaux sont sur la table mais il n'a pas envie de peindre. Il essaie de regarder la télévision avec tante Grace.

La journée a été longue. C'est le pire anniversaire qu'il ait jamais eu.

Il avait voulu aller avec papa et maman. Ils déménageaient et il n'avait même pas encore vu sa nouvelle maison.

— Si tu viens avec nous, tu vas te fatiguer, lui avait dit maman. Je préfère que tu restes avec tante Grace.

Croyant que sa mère avait oublié quel jour c'était, il lui avait dit :

— J'ai neuf ans aujourd'hui.

— Je le sais, lui avait-elle répondu, et je regrette que nous ne puissions pas te faire un gâteau ou une fête. Nous n'en avons pas le temps. Nous devons terminer le déménagement.

Grégoire continue de croire malgré tout qu'il y aura quelque chose de spécial pour son anniversaire.

Il retourne à la porte. Cette fois-ci il y a une voiture dehors. Sa mère sort de la voiture et le rejoint dans l'entrée. Elle porte de vieux vêtements et a l'air fatiguée.

— Bonsoir, Grace, dit-elle. Je te remercie d'avoir gardé Grégoire. Es-tu prêt, Grégoire ?

Il ramasse son bloc à dessin, ses peintures et ses pinceaux. Il est prêt à partir.

Dans la voiture, maman s'assoit en avant avec papa. Grégoire s'installe en arrière.

Pendant qu'ils traversent la ville, Grégoire s'endort.

Lorsqu'il se réveille, il voit qu'ils se sont arrêtés sous un réverbère qui éclaire une maison.

— C'est ça notre maison? demande-t-il.

— Oui, c'est ça, répond papa.

Papa a perdu son emploi à l'usine. Il a donc changé de travail et ils ont dû déménager.

La maison est petite et a besoin d'être repeinte. On dirait qu'elle a été bâtie sur le trottoir. Il n'y a pas du tout de jardin.

Ils entrent dans la maison. Grégoire voit des boîtes et des papiers partout. Et des murs complètement nus.

— Tu devrais aller te coucher, lui dit maman.

— Où ça? demande-t-il.

Elle lui montre sa chambre. Il y trouve son lit ainsi que sa table et sa chaise.

— C'est ma chambre, à moi tout seul? demande-t-il.

— Est-ce qu'elle te plaît?

— Oh oui! s'exclame-t-il.

— C'était une véranda. Nous avons fait construire un mur et une fenêtre, lui explique maman.

Il y avait donc quelque chose de spécial pour son anniversaire. Quelque chose de beaucoup mieux qu'un gâteau ou qu'une fête.

— Couche-toi maintenant, dit maman et elle s'en va.

Il s'assoit sur son lit et regarde la pièce. Elle n'est pas très large, mais elle est longue. C'est une grande pièce pour une maison aussi petite. Il regarde le plancher, les murs et le plafond. Il examine chaque coin et chaque recoin. C'est ce qu'il avait toujours voulu, une chambre à lui tout seul.

Grégoire entend l'horloge sonner. Son anniversaire est fini et c'est le plus beau qu'il ait jamais eu!

2
Oncle Max

Grégoire s'est réveillé de bonne heure. Le jour est en train de se lever. Allongé dans son lit, il contemple cette chambre qui est à lui tout seul.

Près du lit, il y a la boîte qu'il avait rangée avec maman ; elle contient toutes ses affaires.

Il se lève et commence à fouiller dedans. Il y trouve son vieux peignoir jaune. Il l'enfile.

Son bloc à dessin, ses peintures et ses pinceaux sont sur la table, là où il les a posés hier soir. Sans bruit, il va dans la cuisine chercher un verre d'eau. Puis il s'assoit à sa table et commence à peindre. La feuille de son bloc est trop petite. Il peint quand même une maison pas trop laide. Il peint ensuite un tournesol un peu plus joli.

— Est-ce qu'on a des punaises? demande-t-il à maman qui vient d'entrer.

— Que veux-tu faire avec des punaises?

— Je veux accrocher mes dessins.

Maman lui apporte des punaises. Il suspend ses dessins au mur. Même s'ils sont trop petits, ça fait joli. Maintenant, la chambre a vraiment l'air d'être à lui.

Au déjeuner, papa dit :

— Je vais refaire du café pour Max.

— Oncle Max doit venir ? s'étonne Grégoire.

— Oui, répond papa.

— Alors, moi, je m'en vais, lance Grégoire.

— Où vas-tu ? demande maman.

— Me promener dans la rue.

— Je ne sais pas si… hésite maman.

— Tu peux le laisser y aller, dit papa. Il veut juste visiter son nouveau quartier. C'est ça, tu veux visiter ton nouveau quartier ?

— Oui, répond Grégoire.

Il sort. L'air est froid mais c'est agréable. Ça sent le printemps.

Il remonte la rue. C'est dimanche. Il n'y a pas beaucoup de gens dehors. Il remarque une épicerie et d'autres immeubles qui ressemblent à des garages ou à de petites usines.

La rue devient de plus en plus belle. Il y a plein de maisons et beaucoup d'arbres. Passé le deuxième coin de rue, il aperçoit une école. C'est l'école Douvre. Sa mère lui en a parlé. C'est là qu'il doit aller.

Il marche encore un peu, puis il retourne chez lui. Son oncle Max est là.

Oncle Max a vingt ans. Il a une barbe rousse. Il joue de la guitare et compose des chansons. La plupart du temps, il n'a pas de travail.

— Tiens, tiens ! dit-il de sa voix forte. Voilà le Grand Grégoire ! Le gamin au pinceau !

— Salut, lance Grégoire.

Et il s'en va dans sa chambre. Il y a un autre lit dans la pièce. Et sur ce lit, une guitare.

Maman lui demande de venir dans la cuisine.

— Oncle Max va rester avec nous pendant quelque

temps, lui annonce-t-elle. Il est sans travail et il a besoin d'un endroit où habiter.

Grégoire la regarde fixement.

— Tout se passera bien, tu verras, lui assure maman.

— Ce n'est pas ma chambre. C'est la sienne.

— Non, c'est la tienne aussi.

Mais il sait très bien ce qui va se passer.

— Pourquoi n'aimes-tu pas ton oncle Max? demande maman.

— Parce qu'il se prend pour quelqu'un d'important, répond Grégoire.

— Il est quelqu'un d'important, dit maman. Nous le sommes tous.

— Lui, il s'imagine que personne n'est important à part lui, lance Grégoire.

Et il ressort. Derrière la maison, il y a un mur de béton percé d'une grille peinte en vert, d'un vert très laid.

Il entend oncle Max jouer de la guitare. Grégoire donne un coup de pied à la grille. Un coup de pied tellement fort qu'une petite écaille de peinture se détache.

3
La nouvelle école

Le matin, papa et maman se préparent pour aller au travail. Elle est cuisinière dans un restaurant. Il est gardien dans une banque.

Maman demande à Grégoire :

— Veux-tu qu'oncle Max t'accompagne à ta nouvelle école ?

Grégoire fait non de la tête.

— Tu ne veux pas que quelqu'un t'aide le premier jour? insiste maman.

— Non, je l'ai déjà fait tout seul, répond Grégoire.

Il part à l'école. Au secrétariat, une femme l'envoie dans la salle de classe numéro 3.

Mademoiselle Perrier, l'institutrice, annonce à sa classe :

— Nous avons un nouvel élève. Il s'appelle Grégoire.

Puis elle lui demande de quelle école il vient.

— De l'école du Lac, répond-il.

— Est-ce que c'est dans cette ville?

— Oui, mademoiselle, c'est une grande école. Plus grande que celle-ci.

«J'aime bien mademoiselle Perrier, et je crois que cette école va me plaire», songe-t-il. Il commence à apprendre le nom des filles et des garçons.

Au dîner, un garçon prénommé Vincent vient le voir dans la cour de récréation. Vincent est le garçon le plus grand de la classe numéro 3. Il interroge Grégoire :

— Tu as dit que tu allais à l'école du Lac?

— Oui.

— Pourquoi as-tu dit que c'est une école plus grande que celle-ci? demande Vincent.

D'autres garçons et d'autres filles se sont approchés d'eux pour les écouter.

— Parce que *c'est* une plus grande école, répond Grégoire.

— Ce n'est pas vrai, réplique Vincent. J'y suis déjà allé et elle n'est pas aussi grande que celle-ci.

— Elle a l'air plus grande en tout cas, dit Grégoire.

— Eh bien, elle ne l'est pas, rétorque Vincent. Tu aimes te vanter, hein?

— Je ne me vantais pas, se défend Grégoire. J'ai

simplement dit qu'elle était plus grande. Je n'ai pas dit qu'elle était mieux.

Il se tait, car plus personne ne l'écoute. Vincent et les autres sont partis.

Après l'école, en rentrant à la maison, il trouve oncle Max en train de regarder la télévision.

Grégoire va dans la chambre qui est la sienne et celle de son oncle. Les murs sont recouverts de photos qu'il n'avait jamais vues. De grandes affiches rouges et noires qui représentent des voitures de course. Grégoire ne voit plus ses dessins.

Il retourne au salon et demande à son oncle :

— Où sont mes dessins ?

Le téléviseur hurlait. Oncle Max baisse le volume et demande à Grégoire :

— Qu'est-ce que tu as dit ?

— Mes *dessins* ! Où sont-ils ?

— Ils sont toujours là, répond son oncle.

— Tu as mis tes affiches par-dessus mes dessins ? s'indigne Grégoire.

— Quoi, tu n'aimes pas mes affiches ?

— Non, je ne les aime pas !

— Dommage ! conclut oncle Max, et il augmente le volume du téléviseur.

Grégoire est très en colère. Il a envie d'aller

déchirer toutes les affiches de son oncle. Mais cela n'aurait fait qu'empirer les choses.

Il sort et va derrière la maison pour essayer de trouver quelque chose à faire.

La grille est fermée par un fil de fer. Il la secoue, puis il se met à jouer avec le fil de fer jusqu'à ce qu'il cède. Il ouvre la grille.

De l'autre côté, se trouve une bâtisse détruite par le feu. Il ne reste plus qu'une seule pièce. Trois murs, pas de toit et des briques éparpillées sur le sol.

Grégoire se faufile entre les grandes toiles d'araignée qui pendent un peu partout dans la pièce, puis il empile quelques briques et s'assoit dessus. Il se penche en arrière et regarde le ciel. L'endroit est calme et il commence à se sentir mieux. Il est moins en colère maintenant.

4
La bâtisse brûlée

Dans la classe numéro 3, il y a une fille qui s'appelle Irène. Elle est petite et a de longs cheveux noirs. Elle est tellement timide que lorsqu'elle parle, on entend à peine un chuchotement.

Il y a quelque chose de merveilleux en elle. Grégoire ne sait pas exactement quoi, mais ce quelque chose se voit sur le visage d'Irène, dans la façon qu'elle a de tenir sa tête et aussi dans les dessins qu'elle fait.

Trois fois par semaine, ils ont un cours d'arts plastiques.

Grégoire dit un jour à Irène :

— Tes dessins sont très jolis.

Elle regarde à son tour un dessin que Grégoire vient de faire. C'est un château. Il ne l'aime pas beaucoup. Il voulait dessiner un drapeau, mais le château est trop grand. Il n'y a plus de place en haut pour le drapeau.

La fillette ne dit rien. Elle touche simplement le dessin. Grégoire ne sait pas si le dessin a plu à Irène.

Depuis sa première journée dans cette nouvelle école, les choses ne vont pas très bien pour lui. Il avait espéré que ça s'arrangerait, mais une semaine a passé et c'est toujours pareil. Il a l'impression que mademoiselle Perrier l'aime bien, mais il n'est pas sûr de ce que pensent les autres.

À la maison non plus, les choses ne vont pas très bien. Oncle Max est toujours là. Il regarde tout le temps la télévision. Ou il gratte sa guitare. Ou il dort dans leur chambre.

C'est plus la chambre de son oncle que la sienne. Mais ça ne dérange plus tellement Grégoire, car il a un endroit à lui tout seul : chaque jour, après l'école, il va dans le bâtiment brûlé.

— Tu ne pourrais pas trouver un autre endroit pour jouer? dit maman. C'est sale là-dedans.

— J'ai commencé à nettoyer la pièce, répond-il.

En balayant le plancher, il a découvert des petits morceaux de quelque chose de blanc. Il en montre un morceau à maman en disant :

— Regarde, on dirait de la craie.

— Tu as raison, c'est de la craie.

Quelques jours plus tard, maman dit à Grégoire :

— La voisine m'a tout raconté au sujet de cette bâtisse en arrière. C'était une usine de craie. On y fabriquait des craies qu'on vendait ensuite aux écoles. Mais les affaires ne marchaient pas très bien. Finalement, l'usine a pris feu et tout a été détruit, ne laissant que ce qu'on voit aujourd'hui.

Grégoire continue de nettoyer la place et, un jour, il découvre deux caisses en bois sous une pile de briques. Elles sont pleines de bâtons de craie.

Les caisses sont brûlées et brisées. Certaines craies sont brûlées aussi, mais il reste quand même des bâtons propres et blancs. Grégoire en prend un et essaie de dessiner sur les murs noircis par le feu et la fumée. Il fait un bateau et un alligator.

Juste à ce moment-là, il entend maman qui l'appelle pour souper.

— Veux-tu voir ce que j'ai fait? demande-t-il.

— Une autre fois, répond-elle. Vite, ton souper va être froid.

5
La fête

La deuxième semaine d'école de Grégoire débute par une fête. Une fête en l'honneur d'Irène.

Grégoire demande à l'institutrice :

— Est-ce que c'est son anniversaire ?

— Non, répond mademoiselle Perrier. Tu n'étais pas ici le mois dernier. J'ai oublié de te dire ce qui s'est passé.

Elle lui raconte qu'il y a eu un concours de dessin.

Toute l'école a participé. Plus de cinq cents dessins ont été exposés.

— Et d'après toi, qui a gagné le premier prix? demande-t-elle.

— Irène! répond Grégoire.

— Oui, Irène a remporté le ruban bleu. La professeure d'arts plastiques et moi, nous voulions lui offrir une récompense spéciale. Nous l'avons achetée hier et nous allons lui donner aujourd'hui. C'est pour cela qu'il y a une fête.

La récompense est sur le bureau de l'institutrice. C'est un gros paquet enveloppé de papier doré.

La professeure d'arts plastiques, madame Caron, arrive. Après avoir parlé de l'exposition de dessins, elle fait venir Irène en avant de la classe.

— Toute l'école est fière de toi, dit-elle à Irène en lui tendant le paquet.

Irène le prend, puis elle dit une chose bizarre :

— Ce n'est peut-être pas pour moi.

— Que veux-tu dire? demande la professeure.

— Je veux dire qu'il y a peut-être quelqu'un de meilleur que moi, chuchote la fillette.

— À notre avis, c'est toi la meilleure, déclare madame Caron.

Irène retourne à sa place avec son paquet.

— Tu ne vas pas regarder ce que c'est? s'étonne mademoiselle Perrier.

D'un geste lent, Irène défait le beau papier doré. Le cadeau ressemble à un grand livre. Mais ce n'est pas un livre. C'est une mallette en cuir.

Irène l'ouvre calmement. Les autres élèves s'étirent alors le cou pour essayer de voir ce qu'elle contient.

— Aimerais-tu la faire passer dans la classe afin que tout le monde la voie? propose madame Caron.

La mallette passe donc d'un pupitre à l'autre et arrive finalement à Grégoire. Elle contient des peintures, des pinceaux, des crayons à mine et des crayons de couleur. «Il y a à peu près tout ce qu'un artiste peut désirer», se dit Grégoire.

Le soir, il décrit la fête à sa mère.

— Ce devait être bien, lui dit-elle. Aimes-tu l'école?

— Oh! ça va.

— T'es-tu fait des amis?

— Non, pas encore. Il y a ce Vincent dans ma

classe. Il ne m'aime pas beaucoup. Il a plein d'amis et je crois qu'eux non plus ne m'aiment pas beaucoup.

— Ça prend un certain temps pour s'habituer à une nouvelle école. Ne t'inquiète pas, mon grand.

— Je ne m'inquiète pas, maman.

Et pourtant, il lui arrive de s'inquiéter. Il n'a pas l'impression d'être à sa place dans cette nouvelle école. Il se demande même s'il y sera jamais à sa place.

6
Monsieur Hamel

Monsieur Hamel est venu dans la classe numéro 3.
C'est un ami de mademoiselle Perrier. Elle explique
aux élèves :

— Monsieur Hamel travaille dans une pépinière.
C'est un endroit où l'on fait pousser des végétaux pour
les transplanter ailleurs par la suite. Il vend des plants
et des semences et il est venu nous en parler.

Tout en parlant de jardinage, monsieur Hamel

dessine sur le tableau une laitue frisée, puis une autre toute ronde.

— On peut cultiver ces deux genres de laitue, dit-il.

Puis il parle des radis :

— On peut faire pousser ceux qui sont ronds et rouges ou ceux qui sont longs et blancs.

Et il dessine un radis de chaque sorte.

Il parle ensuite des fleurs. Il dessine une branche de pois de senteur qui grimpe sur un piquet, puis il dit aux élèves :

— La semaine prochaine, je vous apporterai des plants et des semences. Il y en aura pour chacun de vous et si vous le voulez, vous pourrez avoir votre propre jardin.

Le soir, Grégoire parle de monsieur Hamel à maman.

— Je vais avoir un jardin.

— Je ne crois pas que ce soit possible, Grégoire.

— Pourquoi pas?

— Tu sais bien qu'il n'y a pas de place ici pour un jardin.

Grégoire va dehors et examine les lieux. Il voit que la maison est entourée de béton. Et dans la bâtisse brûlée aussi, le sol est en béton.

Maman a raison. Il n'y a pas de place pour un jardin.

Il aimerait bien planter toutes les choses que monsieur Hamel a dessinées sur le tableau. La laitue frisée est celle qu'il préfère.

Il prend un bâton de craie et dessine une laitue frisée sur le mur. Elle n'est pas très réussie. Il en dessine une autre qui est mieux. Puis encore une autre. Finalement, il en a dessiné toute une rangée. Ça fait joli toute une rangée de laitues sur le mur.

Le lundi suivant, monsieur Hamel revient à l'école. Il a apporté des plants et des semences. Les filles et les garçons choisissent ceux qui leur plaisent. Irène choisit des graines de pois de senteur.

Grégoire, lui, est resté assis à son pupitre.

Mademoiselle Perrier lui demande :

— Et toi, tu n'en veux pas?

— Non, merci, répond-il. J'ai déjà un jardin.

7
Le jardin de Grégoire

Le jardin de Grégoire se trouve dans la bâtisse brûlée.
Dans la pièce aux trois murs.

Il a effacé le bateau et l'alligator qu'il avait dessinés,
car ils n'ont pas leur place dans un jardin.

Il dessine des rangées de légumes sur les murs. Puis
il fait des tournesols. Et des piquets sur lesquels
s'enroulent des pois de senteur.

Il dessine même un petit sentier qui conduit à une mare. Et il ajoute un crapaud près de la mare.

— Viens voir mon jardin, dit-il à maman.

— Tu sais bien que je n'aime pas cette bâtisse en ruines. Il me semble que tu pourrais jouer ailleurs que là.

— Cet endroit est propre maintenant. Je l'ai tout nettoyé.

Puis il demande à papa :

— Veux-tu voir mon jardin ?

— Y a-t-il des fraises ? demande papa.

— Je peux en mettre.

— Alors, mets-en, mets-en plein. Lorsqu'elles seront mûres, je viendrai les manger avec du sucre et de la crème.

Grégoire ne demande pas à oncle Max de venir voir son jardin. Oncle Max ne ferait que rigoler.

À l'école, les filles et les garçons parlent de leur jardin.

Mademoiselle Perrier demande à Grégoire :

— Comment va ton jardin ?

— Bien, mademoiselle.

Puis il dit à Irène :

— J'ai des piquets avec des pois de senteur.

Irène ne répond pas.

— C'est bien, dit l'institutrice. Qu'as-tu d'autre dans ton jardin ?

— Des légumes, avec un petit chemin qui conduit à une mare.

Elle a l'air étonnée.

— Ton jardin doit être grand.

— Oui, assez grand, répond-il.

Et il a même l'intention de l'agrandir encore. Chaque jour, il sort l'escabeau du garage et l'installe dans la pièce qui lui sert de jardin. En montant sur l'escabeau, il arrive à la hauteur des murs. Il peut maintenant avoir des arbres dans son jardin.

Il dessine un poirier et un noyer. Il fait même des nids d'oiseaux dans les branches.

Une nuit qu'il pleut, il n'arrive pas à s'endormir. « Mon jardin va disparaître », s'inquiète-t-il.

Mais il n'a pas disparu. Quelques légumes seulement ont été effacés.

Ce matin-là, il arrive presque en retard à l'école. Il dit à l'institutrice :

— J'ai travaillé dans mon jardin. La pluie a emporté quelques laitues.

— Tu travailles beaucoup dans ton jardin, n'est-ce pas, Grégoire ?

— Oui, beaucoup. Je vais peut-être y mettre une fontaine.

Vincent a tout entendu. Au dîner, il demande à Grégoire :

— Alors, où il est ce jardin avec sa fontaine?

— Je n'ai pas encore de fontaine, répond Grégoire.

— Tu parles sans arrêt de ton jardin. Alors, où il est? insiste Vincent.

— Derrière chez moi, dit-il simplement.

Quelques minutes plus tard, il remarque des petits groupes de garçons et de filles qui chuchotent entre eux tout en le regardant. Grégoire est certain qu'ils parlent de lui.

8
« Rien du tout »

Après l'école, Grégoire va directement dans son jardin. Il repense à la fontaine. Son jardin s'étale déjà sur les trois murs. Il doit effacer quelque chose pour faire de la place à la fontaine. Ça ne le dérange pas car il aime changer les choses.

Il lui faut aller chercher l'escabeau dans le garage. En chemin, il s'arrête net. Il a entendu des pas derrière la grille. Quelqu'un rit. Quelqu'un fait « Chut! ».

La grille s'ouvre. Des garçons et des filles entrent.
Ce sont tous des élèves de sa classe.

Vincent est le chef de file. Il dit à Grégoire :

— On est venu voir ton jardin.

— Où il est? demande une des filles.

— C'est juste ça? dit méchamment Vincent.

— C'est rien qu'une bâtisse brûlée, lance un des
élèves.

— Je vous l'avais bien dit. C'est rien, rien du tout, déclare Vincent.

Il se retourne et s'en va. Les autres le suivent. Irène est la dernière.

Elle jette un regard en arrière. Elle s'arrête presque. Puis elle s'en va elle aussi.

Ce soir-là, Grégoire n'a pas faim. Il y a de la crème

glacée au chocolat comme dessert. C'est sa saveur préférée mais Grégoire n'a pas le coeur à manger.

Maman lui touche le front et conclut :

— On dirait que tu fais un peu de fièvre. Tu devrais aller te coucher.

Il se met au lit. Maman s'assoit à côté de lui.

— Grégoire, qu'est-ce qui ne va pas ?

— Il y a des enfants à l'école qui ont un jardin. J'ai dit que j'en avais un moi aussi.

— Pourquoi as-tu dit cela ?

— Parce que j'en ai un, c'est vrai. Il n'est pas comme le leur mais c'est quand même un jardin.

— Celui que tu as fait dans le bâtiment brûlé ?

— Oui. Après l'école, ils m'ont suivi jusqu'ici. Ils sont venus voir et ils ont dit…

— Qu'est-ce qu'ils ont dit ?

— Ils ont dit que c'était rien du tout. Ils ont cru que je me vantais.

— Et alors, tu ne te vantais pas ?

— Non, pas du tout. Je faisais un peu semblant, c'est vrai, mais je ne me vantais pas. Ils peuvent bien penser ce qu'ils veulent. Ça m'est égal !

9
Irène et Richard

Malgré tout, c'était dur pour lui d'aller à l'école le lendemain. Il fait le tour du bloc avant de se décider à entrer dans l'école. Il arrive le dernier en classe.

Mademoiselle Perrier l'accueille avec un sourire. Il pense qu'elle n'est au courant de rien. Les autres le sont cependant. Il sent bien qu'ils le regardent.

Irène est assise à la première rangée. L'institutrice lui demande :

— Vas-tu nous dessiner quelque chose aujourd'hui ?

Irène a apporté sa mallette en cuir. Elle ne répond pas à mademoiselle Perrier, mais elle se lève et se dirige vers Grégoire. Elle pose sa mallette sur le pupitre de Grégoire, puis elle retourne à sa place.

Le silence règne dans la classe.

Mademoiselle Perrier a l'air de n'y rien comprendre. Elle demande à Irène :

— Veux-tu que Grégoire se serve de tes peintures et de tes pinceaux ?

— Ce ne sont pas les miens, déclare la fillette.

— Bien sûr que si, dit mademoiselle Perrier.

— Non, ils sont à Grégoire, insiste Irène.

— Comment cela ? s'étonne l'institutrice.

— Parce que… parce que ses dessins sont plus jolis que les miens. Je les ai vus sur les murs. Ils sont beaucoup plus jolis !

Mademoiselle Perrier comprend de moins en moins.

— Quels murs ? Grégoire, sais-tu de quoi elle parle ?

— Elle parle des murs derrière chez moi. J'ai fait un jardin… avec de la craie, explique Grégoire.

— Avec de la craie ? répète mademoiselle Perrier.

— C'est mon jardin. Celui dont je vous ai parlé l'autre jour.

— Ah bon, fait l'institutrice.

Puis elle prend la mallette d'Irène et lui dit :

— Elle est à toi, Irène. C'est ta récompense et il y a même ton nom dessus. Mais si les dessins de Grégoire sont aussi jolis que tu le dis, je comprends que tu veuilles partager ta récompense avec lui.

Et elle pose la mallette sur le pupitre d'Irène.

La cloche sonne. La classe commence.

Au dîner, mademoiselle Perrier dit à Grégoire :

— J'aimerais voir les murs dont tu parles. Et je suis certaine que madame Caron aimerait les voir, elle aussi. Quand pourrais-tu nous les montrer ?

— N'importe quand, répond-il.

— Aujourd'hui, après l'école ?

— Si vous voulez.

Mademoiselle Perrier et madame Caron accompagnent Grégoire chez lui après l'école. Il leur ouvre la grille.

Mademoiselle Perrier fait « Oh ! ».

Madame Caron dit :

— C'est vraiment un jardin !

Tout en regardant les murs, elles parlent entre elles. Elles ont l'air enchantées.

— Les dessins qu'il a faits au cours d'arts plastiques n'étaient pas mal, mais rien à voir avec ceux-là !

estime madame Caron. Je l'ai entendu dire un jour que sa feuille de papier n'était pas assez grande. Je crois qu'il avait besoin de tout un mur pour dessiner.

Mademoiselle Perrier demande à Grégoire :

— Comment as-tu eu l'idée de faire ça ?

— Grâce à monsieur Hamel, répond-il.

— Il faut qu'il vienne voir ce jardin, dit l'institutrice.

Monsieur Hamel est venu voir le jardin de Grégoire.

— J'aimerais prendre une photographie, dit-il. Une grande photographie que j'accrocherais dans ma pépinière. Est-ce que je pourrais apporter mon appareil-photo demain ?

— Bien sûr, répond Grégoire.

En sortant de là, monsieur Hamel rencontre papa qui arrive du travail.

— Êtes-vous le père de ce garçon ? lui demande monsieur Hamel.

— En effet, répond papa.

— Je viens de voir le jardin de Grégoire, dit monsieur Hamel. Vous devez être fier de lui.

— Fier de lui ? s'étonne papa.

— Oui, fier de lui, répète monsieur Hamel, et il s'en va.

Maman est sortie.

— Qui était-ce? demande-t-elle.

— Je ne sais pas, répond papa, mais je crois que nous ferions mieux d'aller voir ce qu'il y a derrière chez nous.

Ils entrent dans le bâtiment brûlé. Grégoire les accompagne.

Tout en regardant les murs, maman s'exclame :

— Oh, Grégoire!

— Il va falloir nous acheter des nouveaux vêtements, dit papa.

— Des nouveaux vêtements? s'étonne maman.

— Oui, car notre fils va devenir célèbre et tout le monde va avoir l'oeil sur nous, explique papa.

Maman a appelé oncle Max. Il contemple à son tour le jardin.

— Avant, c'était le gamin au pinceau. Maintenant c'est le gamin à la craie, déclare-t-il.

On aurait dit une plaisanterie mais oncle Max ne riait pas. Et lorsque Grégoire va se coucher ce soir-là, il aperçoit ses anciens dessins accrochés au mur.

— Où sont toutes tes affiches? demande-t-il à son oncle.

— Je les ai enlevées, répond oncle Max.

Les choses ont changé à l'école. Tous les élèves sont gentils avec lui maintenant, même Vincent.

— Il y a une photo de ton jardin à la pépinière, dit-il à Grégoire. Pourquoi ne vas-tu pas la voir?

Mais la plus belle chose de toutes arrive un soir après l'école. Grégoire est en train de préparer un espace pour sa fontaine lorsque Irène arrive à la grille, accompagnée d'un petit garçon.

— C'est mon frère Richard, dit-elle à Grégoire. Je l'ai amené pour lui montrer ton jardin.

Grégoire avait empilé des briques pour en faire des sièges. Ils s'y assoient tous les trois.

Irène murmure à l'oreille de son frère :

— Ce n'est pas un jardin comme le nôtre, Richard. Celui-ci est tout à fait différent. C'est le jardin de quelqu'un d'autre.

— Je vois ça, dit le petit garçon.

Grégoire dit à Irène :

— Je vais ajouter une fontaine. Vas-tu pouvoir m'aider?

— Je ne sais pas, chuchote-t-elle. Peut-être.

Puis ils se taisent et restent un long moment assis au milieu du beau jardin de Grégoire.

L'auteur

CLYDE ROBERT BULLA est un auteur de haute renommée dans le domaine de la littérature pour les jeunes. Il a écrit plus de soixante ouvrages et a reçu de nombreux prix. À propos du livre *Le gamin à la craie*, il écrit : « Quand j'étais petit, je trouvais parfois difficile de m'adapter à un nouvel environnement et il m'arrivait de partir du mauvais pied. Je raconte ici l'histoire d'un garçon qui est parti du mauvais pied dans sa nouvelle école et par quels moyens il a essayé de s'en sortir. J'ai donné à Grégoire ce dont j'ai toujours rêvé : un grand mur nu sur lequel j'aurais pu dessiner. »

Clyde Robert Bulla a grandi à King City, Missouri, et habite maintenant Los Angeles, en Californie.

L'illustrateur

THOMAS B. ALLEN a illustré plusieurs livres pour les jeunes. Il est né à Nashville, Tennessee, et réside maintenant à Lawrence, Kansas. C'est un professeur éminent du département de Dessin de l'Université du Kansas.